La peinture à l'éponge

Traduit et adapté par
Michèle Bisaillon

CHANHASSEN, MINNESOTA
www.creativepub.com

SOMMAIRE

Pour commencer

Peindre avec des glacis

La Peinture à l'éponge & lavis de couleur

La peinture à l'éponge

Les murs au fini texturé créent une ambiance chaleureuse. Cet effet visuel est facile à créer, il est peu coûteux et ne requiert que peu d'équipement. À partir d'une simple peinture à l'eau à laquelle on ajoute des touches de brillance, on peut créer un décor intime. Plusieurs techniques vous sont proposées. Les stries, le peigne et le chiffon roulé ne sont que quelques exemples de ces finis texturés. Une multitude d'objets qu'on trouve dans la maison peuvent aussi servir à raviver l'éclat ou à estomper la brillance de vos murs texturés. Cette technique convient également aux meubles et aux accessoires.

La peinture à l'éponge peut rehausser une surface déjà peinte. Pour un fini ressemblant légèrement au crépi, on applique la peinture et on l'étale avec une éponge de mer. Les éponges de cellulose sont moins poreuses et laissent des empreintes uniformes.

Vous pouvez également opter pour un fini délavé. Il crée un effet translucide tout en douceur sur les surfaces peintes et le bois. Les murs au fini délavé se parent d'une subtile texture ombragée qui convient à tous les décors. Appliqué sur le bois, le fini délavé lui confère un aspect translucide et fait ressortir son grain et sa couleur naturelle.

Les idées que vous propose cet ouvrage peuvent vous aider à apporter une touche créatrice à votre décor. Les indications sont claires, illustrées de photos et faciles à suivre. Vous apprendrez rapidement et serez fier des résultats.

Toutes les informations contenues dans ce livre ont été testées ; cependant, parce que les niveaux de difficultés des tâches varient d'une technique à l'autre et que les conditions ne sont pas les mêmes pour chacun, l'éditeur décline toute responsabilité quant aux résultats obtenus. Suivez attentivement les instructions du fabricant des matériaux et des outils que vous utilisez. La maison d'édition n'est pas responsable des blessures ou des dommages causés par un mauvais usage des produits ou des indications mentionnés dans le présent ouvrage.

Pour commencer

Apprêts & Finis

APPRÊTS

Certaines surfaces doivent être d'abord enduites d'un apprêt avant d'être peintes. Cette sous-couche bouche pores assure une bonne adhésion de la peinture et sert également à sceller les surfaces poreuses, permettant à la peinture de s'étendre uniformément sans être absorbée par endroits. Il n'est pas nécessaire d'utiliser un apprêt sur une surface lisse et en bon état, comme sur une surface de bois déjà peinte et sans égratignures ou sur une boiserie en bon état. Une grande variété d'apprêts à l'eau sont disponible sur le marché ; choisissez-en un qui convient au type de surface que vous avez à recouvrir.

A. SOUS-COUCHE BOUCHE-PORES AU LATEX MATE. On l'utilise sur des surfaces de bois non fini pour bloquer les pores du bois, ce qui permet de restreindre le nombre de couches de peinture ensuite. Elle peut également être employée sur du bois déjà peint dont on veut changer la couleur. La sous-couche bouche-pores empêche la couleur de fond de ressortir.

B. SOUS-COUCHE D'ÉMAIL AU LATEX. Elle sert d'apprêt aux surfaces de bois brut, de bois déjà peint et de bois vernis ou teint. Cet apprêt bouche tous les pores du bois et lui donne une surface lisse. Cette sous-couche n'est pas recommandée pour le cèdre, le séquoia ou le contreplaqué, qui contiennent des teintures solubles à l'eau. Les teintures traversent cette sous-couche d'émail.

C. APPRÊT ANTIROUILLE POUR MÉTAL AU LATEX. Il permet à la peinture d'adhérer au métal. Utilisé comme base, il empêche celui-ci de rouiller même lorsqu'on le recouvre d'une peinture à l'eau.

D. APPRÊT POLYVINYLE ACRYLIQUE OU (PVA). Il convient bien aux surfaces poreuses, plâtrées et à la poterie non lustrée auxquelles on veut donner un fini luisant. Si vous souhaitez conserver l'apparence satinée des plâtres et des poteries, peignez directement sur la surface sans utiliser de sous-couche bouche-pores au préalable.

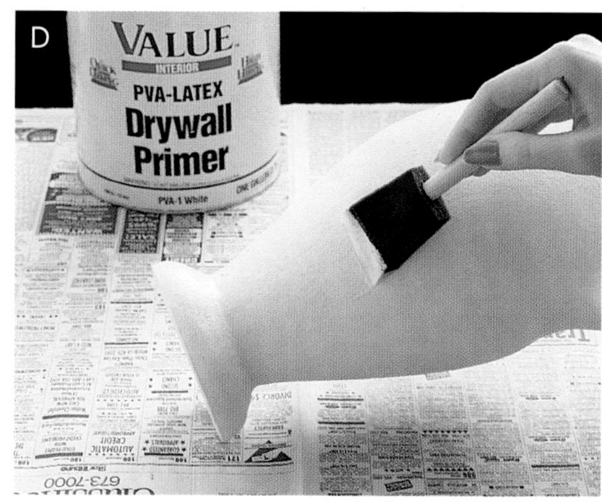

E. APPRÊT ÉTANCHE ANTITACHE. On s'en sert pour faire disparaître les taches de graisse et d'encre à stylo afin qu'elles ne transparaissent pas à travers la peinture. On l'utilise également pour masquer les nœuds dans le bois. Cet apprêt est recommandé pour le cèdre, le séquoia et le contreplaqué. Très polyvalent, il convient également aux surfaces luisantes, aux poteries et aux céramiques, évitant les ponçages et le déglaçage des surfaces.

LES FINIS

Le fini, c'est la couche finale, celle qui sert à protéger la peinture qu'elle recouvre d'une couche transparente. Le degré de protection des finis et leur durabilité varient selon l'épaisseur de la couche qu'on applique.

F. FINI PROTECTEUR TRANSPARENT. Comme l'uréthane et l'acrylique qui sont à base d'eau, il assure une durabilité à toute surface traitée. Ce produit, disponible en fini mat, satiné et lustré, s'applique au pinceau ou à l'éponge et n'est pas dommageable pour l'environnement. Il se vend au litre, (0,5 L, 0,9 L, 3,8 L ou chopine, pinte, gallon) chez votre quincaillier et en format satiné de 119 ml et 237 ml dans les boutiques d'artisanat.

G. FINI ACRYLIQUE TRANSPARENT EN AÉROSOL. Disponible en fini satiné et lustré, on l'utilise comme couche protectrice finale. Ce produit ajoute de la luminosité et de la transparence aux objets peints. Appliquez-en plusieurs couches fines pour éviter les coulures. Assurez-vous que votre produit n'est pas dangereux pour l'environnement et prenez soin d'effectuer ce travail dans un endroit bien ventilé.

Outils & Produits

RUBAN-CACHE

Utilisez toujours du ruban-cache lorsque vous peignez afin de ne pas abîmer les surfaces qui ne seront pas peintes. Il existe différents types de ruban-cache, ceux dont les bandes se décollent facilement et ceux qui adhèrent bien, mais qui risquent d'endommager votre peinture lorsque vous les retirez. Ils peuvent être minces, larges et très larges. Il sera sans doute prudent d'en faire l'essai sur une petite surface avant de commencer. Le rebord du ruban doit être bien collé, de façon à éviter les bavures.

ROULEAUX À PEINTURE

Les rouleaux servent à peindre une surface rapidement en une couche uniforme. Leur épaisseur varie selon la tâche à exécuter. Tous s'enclenchent dans un même manche. Les rouleaux en fibres synthétiques et ceux en laine de mouton conviennent parfaitement à la peinture à l'eau.

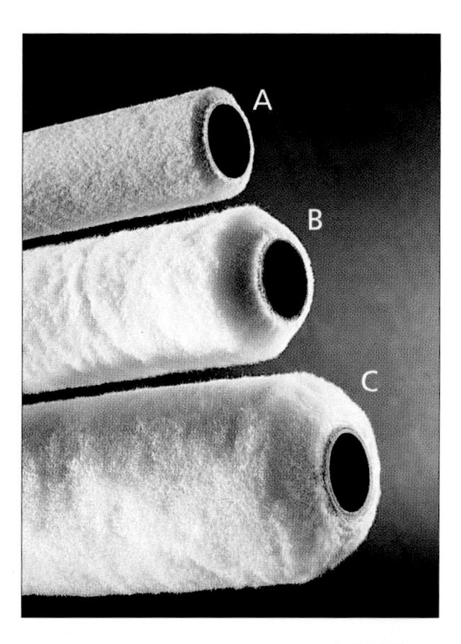

A. ROULEAU À POILS COURTS. On le recommande pour les peintures lustrées appliquées sur des surfaces lisses comme les boiseries, le bois et le plâtre doux. La longueur des poils varie de 6 mm à 1 cm.

B. ROULEAU À POILS MOYENS. C'est le rouleau tout usage. Il ajoute une légère texture aux surfaces lisses et sa taille varie de 1,3 cm à 2 cm.

C. ROULEAU À POILS LONGS. Il recouvre plus facilement et en moins de temps les surfaces texturées. Il a de 2,5 cm à 3,2 cm d'épaisseur.

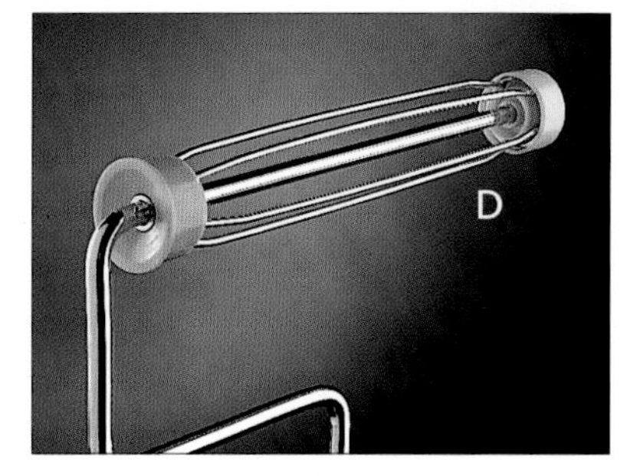

D. ARMATURE DU ROULEAU. Elle se compose d'un manche muni d'un bras métallique qui maintient le rouleau en place. Choisissez une armature avec des roulements de nylon afin que celle-ci puisse tourner aisément ainsi qu'une extrémité à vis sur laquelle on peut adapter un manche.

E. RALLONGE. Ce long manche filé à l'extrémité pour recevoir la poignée du rouleau vous facilitera la tâche lorsque vous aurez à peindre des plafonds, des murs hauts ou des planchers.

PINCEAUX ET APPLICATEURS

Il existe toute une gamme de pinceaux et d'applicateurs sur le marché servant à différents usages. Vous avez l'embarras du choix. Choisissez ceux qui conviennent au travail que vous voulez entreprendre.

A. À POILS SYNTHÉTIQUES. Utilisé pour la peinture à l'eau et le latex.

B. À POILS NATURELS. Il convient à la peinture à l'huile et alcaline. Il peut également être employé avec de la peinture à l'eau pour créer des effets spéciaux.

C. PEIGNE À PINCEAU. Cet instrument enlève les particules séchées sur les pinceaux et remet les poils en place au moment du séchage. Rincez votre pinceau sous un jet d'eau et passez-y le peigne à plusieurs reprises, dans le sens de la longueur. Utilisez un savon doux au besoin et rincez bien. La partie incurvée du peigne sert à nettoyer les rouleaux.

Les pochons ou pinceaux pour pochoir sont également disponibles en toutes sortes de for -mes et de dimensions. Les petits servent à marquer les contours tandis que les plus gros remplissent des espaces plus grands. Les pinceaux synthétiques D, tout comme les pinceaux naturels E, servent à peindre au pochoir.

Les pinceaux d'artiste se présentent également sous différentes formes.

E. EN ÉVENTAIL. G, POUR LES CONTOURS ET H, LES PINCEAUX PLATS. Assurez-vous de toujours redresser les poils après avoir nettoyé vos pinceaux en les pressant entre vos doigts. Rangez-les debout, sur leur manche ou à plat, pour éviter que les poils ne s'aplatissent.

I. PINCEAU ÉPONGE. Il sert à peindre les surfaces lisses.

J. APPLICATEUR À BORDURES. Monté sur roulettes, il est idéal pour peindre le contour des moulures, des plafonds et les coins. Les roulettes s'ajustent pour que la peinture s'applique bien droite.

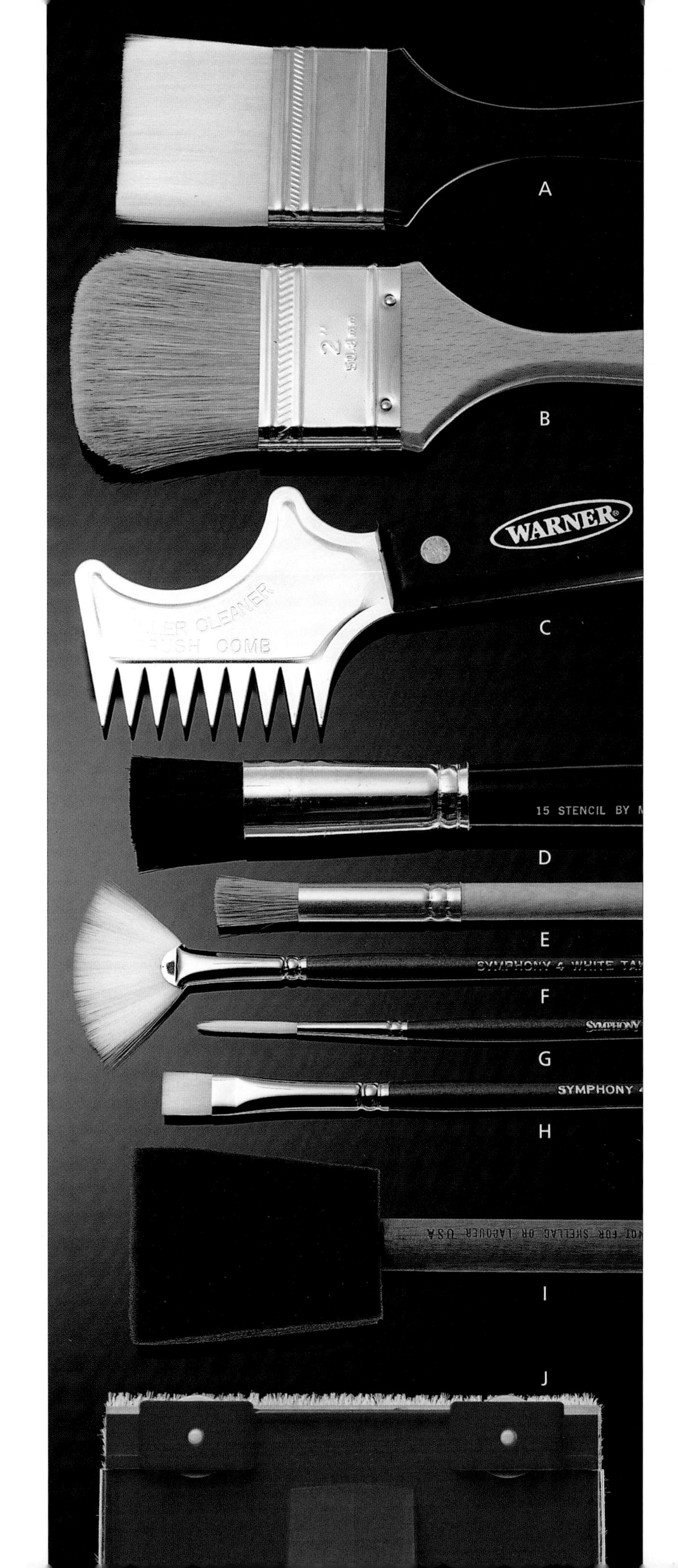

Préparation des surfaces

Pour obtenir un fini durable et qui adhère convenablement, il est important de bien préparer la surface de façon qu'elle soit propre et lisse. Le temps de préparation varie selon le type de surface que vous avez à peindre. Il est souvent nécessaire d'appliquer une sous-couche avant de peindre. Consultez la rubrique des sous-couches aux pages 8 et 9.

PRÉPARATION DES SURFACES

SURFACE À PEINDRE	ÉTAPES DE PRÉPARATION	APPRÊT
BOIS NON TRAITÉ	1- Sabler la surface pour l'adoucir. 2- Essuyer avec un linge humide de façon à enlever toute la poussière. 3- Appliquer une sous-couche bouche-pores.	Sous-couche d'émail au latex.
BOIS DÉJÀ PEINT	1- Nettoyer la surface pour enlever toute trace de graisse et de saleté. 2- Rincer à l'eau claire et laisser sécher. 3- Sabler légèrement pour rendre la surface douce et lisse et enlever toute trace de peinture séchée. 4- Essuyer avec un linge humide. 5- Appliquer une sous-couche bouche-pores partout ou le bois transparaît.	Pas nécessaire, sauf aux endroits ou le bois transparaît, dans ce cas, utiliser une sous-couche d'émail au latex.
BOIS DÉJÀ VERNIS	1- Nettoyer la surface pour enlever toute trace de graisse et de saleté. 2- Rincer à l'eau claire. Laisser sécher. 3- Sabler délicatement pour enlever le lustre. 4- Essuyer avec un linge humide. 5- Appliquer une sous-couche bouche-pores.	Sous-couche d'émail au latex.
PANNEAU DE BOIS NON TRAITÉ	1- Épousseter à l'aide d'un balai à main ou passer l'aspirateur muni d'une brosse douce. 2- Appliquer une sous-couche bouche-pore.	Sous-couche bouche-pores au latex mate.
PANNEAU DE BOIS DÉJÀ PEINT	1- Nettoyer la surface pour enlever toute trace de graisse et de saleté. 2- Rincer à l'eau claire et laisser sécher. 3- Appliquer une sous-couche bouche-pores seulement si vous changez pour une couleur plus contrastée.	Inutile, sauf si vous passez d'une couleur foncée à une couleur pâle. Utiliser alors une sous-couche bouche-pores au latex mate.
PLATRE NON PEINT	1- Sabler si nécessaire pour obtenir une surface lisse. 2- Balayer la surface ou passer l'aspirateur avec un embout souple.	Apprêt acrylique polyvinyle.
PLATRE DÉJÀ PEINT	1- Nettoyer la surface pour enlever toute trace de graisse et de saleté. 2- Rincer à l'eau claire et laisser sécher. 3- Replâtrer les fissures et les imperfections à l'aide d'un produit à séchage rapide. 4- Sabler.	Inutile sauf si elle couvre une couleur foncée ou une couleur vive. Utiliser alors un apprêt d'acrylique polyvinyle.
POTERIE MATE	1- Brosser la surface ou passer l'aspirateur avec un embout souple. 2- Appliquer une sous-couche bouche-pores.	Apprêt polyvinyle acrylique.
POTERIE VERNIE, CÉRAMIQUE ET VERRE	1- Nettoyer la surface pour enlever toute trace de graisse et de saleté. 2- Rincer à l'eau claire et laisser sécher.	Apprêt étanche antitaches.
MÉTAL	1- Laver la surface avec du vinaigre ou du dissolvant à peinture pour enlever toute trace de saleté et de graisse. 2- Sabler la surface pour lui enlever son lustre et ses traces de rouille. 3- Essuyer à l'aide d'un linge humide. 4- Appliquer une sous-couche bouche-pores.	Apprêt antirouille pour métal au latex.
TISSUS	1- Pré-laver les tissus sans utiliser d'assouplissant. 2- Repasser si nécessaire.	Aucun.

Peinture à l'eau

Les quincailleries et les boutiques d'artisanat proposent un éventail très vaste de ces produits. Ils sont tous plus avantageux les uns que les autres selon l'usage que vous désirez en faire. Les peintures et les encres que nous vous présentons sont toutes à base d'eau et se nettoient facilement avec de l'eau et du savon. Elles sont plus écologiques que les peintures à base d'huile.

PEINTURE AU LATEX

Durable, cette peinture sèche rapidement et se vend dans une impressionnante gamme de couleurs. Elle peut également être préparée par un professionnel de la peinture. Elle est disponible en différents finis qui vont du latex satiné jusqu'au latex très lustré. Le latex peu glacé, qu'on appelle aussi fini coquille d'œuf, est un peu plus lustré et couvre mieux tandis que le semi-brillant est encore plus lustré. Plus la peinture est lustrée, plus elle est résistante. Disponible en pots de 0,5 L, 0,9 L et 3,8 L la peinture au latex est idéale pour les petits et les gros travaux.

La peinture au latex contient de l'acrylique ou de la résine de vinyle, parfois une combinaison des deux. La peinture à base d'acrylique est de meilleure qualité. Le mélange d'acrylique et vinyle vient en second, puis la peinture qui ne contient que de la résine de vinyle, vient en dernier. Une peinture de grande qualité coûte évidemment beaucoup plus cher, mais elle s'applique plus aisément, couvre une plus large surface et dure plus longtemps.

PEINTURE ACRYLIQUE POUR ARTISANAT

Cette peinture acrylique contient 100 % de résine acrylique. Dans un fini satiné, elle se vend généralement en pots de 59 ml, 119 ml et 223 ml, possède une consistance très crémeuse et s'applique aisément. Il ne faut pas la confondre avec la peinture acrylique pour canevas qui est beaucoup plus épaisse. On peut diluer la peinture acrylique pour artisanat avec de l'eau ou en ajoutant de la résine de latex ou encore un glacis pour peinture au latex, qui donnent une consistance plus légère. Vendues dans une gamme de couleurs pré-mélangées, ces peintures sont également proposées en finis métallique, fluorescent et chromatique.

ENCRE POUR SÉRIGRAPHIE

L'encre pour tissus vendue dans les boutiques d'artisanat est celle qu'on emploie pour la sérigraphie. Elle est proposée dans une variété de couleurs opaques et transparentes qui peuvent être mélangées entre elles, offrant une plus grande variété de couleurs.

PEINTURE POUR TISSUS

Conçue spécialement pour les tissus, cette peinture s'applique en douceur et ne raidit pas le tissu. La couche qu'on applique ne doit pas être épaisse, la texture du tissu doit transparaître à travers la peinture. Une fois la peinture fixée au fer à repasser, le tissu peut être lavé à la machine ou nettoyé à sec en toute sécurité. La peinture acrylique s'applique elle aussi sur le tissu, mais il faut lui ajouter un médium textile afin de la rendre plus malléable.

Liants à peinture

Les liants comme les glacis, les diluants et les épaississants sont souvent gage de succès dans la peinture décorative. Disponible en latex et en acrylique, ces liants ont été conçus pour créer certains effets ou pour changer l'aspect d'une peinture sans en altérer la couleur. Certains liants sont mélangés directement à la peinture tandis que d'autres sont utilisés simultanément avec la peinture. Les liants sont particulièrement pratiques pour créer des touches de brillance sur la peinture au latex et à l'acrylique. (Page 21). Ils donnent de la translucidité à des surfaces opaques.

GLACIS POUR PEINTURE AU LATEX, sous l'étiquette « Floetrol », ce produit fut conçu au départ pour les vaporisateurs de peinture au latex, mais il est employé de plus en plus dans la réalisation de faux finis. Mélangé à la peinture, le glacis améliore le temps de séchage et maintient l'humidité de la deuxième couche, ce qui permet d'éviter l'effet de surimpression. Cette mixture, de consistance légère, produit sur la peinture un effet translucide. Le glacis peut être ajouté directement à la peinture au latex et à la peinture acrylique.

LIANT POUR TEXTILE. Formulé pour être mélangé à la peinture acrylique, le liant pour textile convient parfaitement à la peinture sur tissu. Mélangé à la peinture, il pénètre davantage dans la fibre naturelle des tissus comme le coton, la laine et les mélanges, créant des dessins permanents et lavables. Une fois le dessin achevé, la peinture est fixée à l'aide d'un fer à repasser.

BLANC DE CHARGE POUR ACRYLIQUE. Ce produit éclaircit la peinture, prolonge son temps d'exposition et donne un fini plus translucide.

ACCUMULATEUR POUR PEINTURE ACRYLIQUE. Il allonge le temps de séchage et épaissit la consistance de la peinture. Ce produit épaississant peut-être mélangé directement à la peinture acrylique ou au latex. De petites bulles peuvent apparaître lorsqu'on le mélange, mais elles disparaîtront au cours de l'application. L'accumulateur est utilisé dans les techniques de peinture qui requièrent plus de corps et qui s'étalent au peigne.

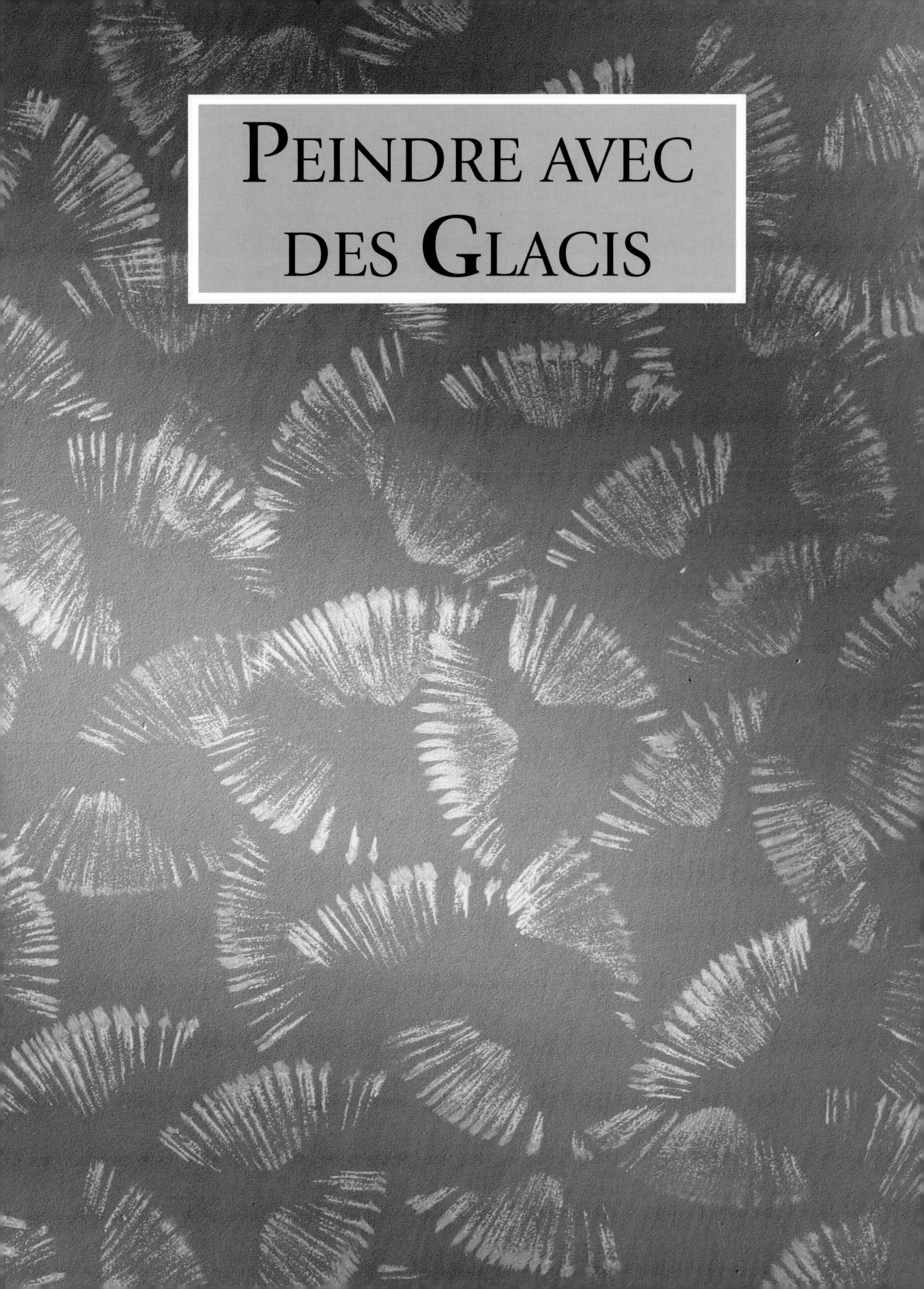

Peindre avec des Glacis

Les principes du glacis

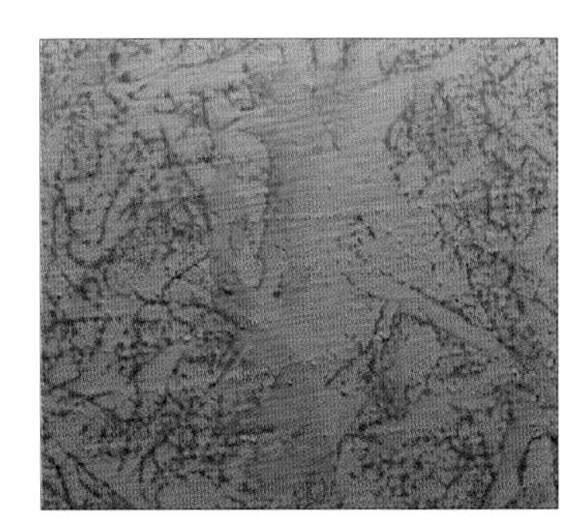

Plusieurs sortes de peinture décoratives nécessitent une touche de brillance que l'on obtient en ajoutant un glacis (page 16) ou on blanc de charge (page 17) à la peinture. Grâce à ces liants, le temps de séchage est prolongé pour vous permettre d'apporter des nuances à la peinture avant qu'elle ne sèche. Le glacis possède un aspect crémeux qui, lorsqu'il est mouillé, donne un relief qui devient translucide en séchant.

À l'origine, le glacis servait uniquement pour la peinture à l'huile. Il était salissant, difficile à travailler, malaisé à nettoyer et toxique, tandis que le glacis pour peinture à l'acrylique et au latex est facile à utiliser, peu coûteux et moins dangereux, autant pour la personne qui l'utilise que pour l'environnement.

Le glacis de base (ci-dessous) s'utilise pour effectuer plusieurs types de travaux de peinture décorative tels les stries, les effets de peigne et de chiffon roulé, les rouleaux de texture et parfois l'éponge. Le glacis est légèrement modifié pour les lavis de couleurs. Sans l'apport de ce glacis, les finitions que nous vous proposons seraient pratiquement impossibles à réaliser.

CONSEILS D'UTILISATION

Protégez votre espace de travail avec un drap ou une bâche de plastique, car l'utilisation des glacis peut être salissante.

Entourez la surface à peindre de larges rubans-cache (page 10) dont vous collerez les bordures afin que le glacis ne puisse s'y infiltrer.

Servez-vous d'un rouleau à peinture pour appliquer le glacis pour obtenir un fini uniforme lorsque vous peignez un mur.

Utilisez un pinceau pour appliquer le glacis lorsque vous souhaitez une finition ayant de nombreux motifs ou lorsque vous peignez des petits objets.

Servez-vous d'un pinceau éponge lorsque vous désirez une couverture lisse ou lorsque vous peignez un petit objet.

Retouchez le glacis lorsqu'il est humide; bien que l'humidité affecte le temps de séchage, vous pouvez le manier pendant quelques minutes.

Demandez l'aide d'une autre personne lorsque vous travaillez le glacis sur de grandes surfaces. Pendant qu'une personne applique le glacis, l'autre peut le retoucher.

GLACIS DE BASE

Mélangez les ingrédients suivants :

Une mesure de latex ou d'acrylique d'artisanat, de la brillance de votre choix;

Une mesure de glacis;

Une mesure d'eau.

Appliquer une finition avec stries

MATÉRIEL

- Émail latex satiné de la couleur voulue pour la sous-couche.
- Peinture latex de la brillance et la couleur voulue pour le glacis.
- Glacis pour peinture au latex.
- Pinceau large en soie naturelle.
- Pinceau doux en soie naturelle.

1. Préparez la surface (page 13). Appliquez la sous-couche d'émail latex ; laissez sécher. Mélangez le glacis (page 21). Appliquez sur la sous-couche dans une zone verticale d'environ 46 cm de large, avec un rouleau ou un pinceau.

2. Dès que vous avez appliqué le glacis, repassez à l'aide d'un pinceau large et sec ; travaillez de haut en bas. Pour garder le pinceau bien rigide, tenez les soies du pinceau contre la surface à retoucher. Continuez jusqu'à ce que vous obteniez l'effet désiré.

3. Essuyez le pinceau de temps en temps avec un essuie-tout propre et sec afin de retirer l'excédent de glacis et pour obtenir des stries uniformes. Vous pouvez également rincer le pinceau sous l'eau claire et le laisser sécher.

4. Pour obtenir des lignes plus douces, brossez légèrement la surface après que le glacis a séché pendant environ 5 minutes.

Stries

Les stries sont des traits irréguliers tracés sur un motif linéaire qu'on obtient en utilisant un glacis pour peinture. Cette technique convient plus particulièrement aux murs, mais elle s'utilise également sur les surfaces plates et sur les meubles.

Pour les grandes surfaces, il vaut mieux effectuer ce travail à deux. Pendant qu'une personne applique le glacis, l'autre passe le pinceau sur le glacis avant qu'il ne sèche pour obtenir l'effet strié. Si vous devez travailler seul, limitez-vous à de petites surfaces, car le glacis doit être humide pour créer cet effet. Si vous devez vous interrompre, ne le faites que lorsque vous aurez terminé cette surface.

Ce travail étant salissant, portez de vieux vêtements et protégez les alentours de la surface de travail avec un drap ou une bâche de plastique que vous aurez fixée solidement avec du ruban-cache. Frottez fermement les bords du ruban pour vous assurer que le glacis ne s'infiltrera pas en dessous.

Les stries se prêtent parfaitement aux colorations ton sur ton, par exemple l'ivoire sur le blanc ou divers tons de bleu même si le choix des couleurs ne se limite pas à ces tons. Pour vous familiariser avec la technique et essayer les couleurs, faites d'abord un essai sur un morceau de carton.

Comment réussir l'effet de peigne

MATÉRIEL

- Peinture émaillée latex satinée de la couleur de votre choix pour la sous-couche.
- Peinture latex ou acrylique de la brillance et de la couleur désirée pour le glacis.
- Glacis, pour le glacis de base ou pour le glacis épaissi.
- Pinceau, rouleau ou pinceau éponge.
- Peignes, page précédente.
- Fini acrylique transparent

1. Préparez la surface (page 13). Appliquez la sous-couche d'émail latex à l'aide d'un pinceau éponge, un rouleau ou un pinceau. Laissez sécher.

2. Mélangez le glacis de base (page 21) ou l'épaississeur de peinture acrylique sur une petite surface à la fois en vous servant d'un pinceau éponge, d'un pinceau ou d'un rouleau. Passez le peigne sur le glacis humide pour créer un motif. Laissez sécher.

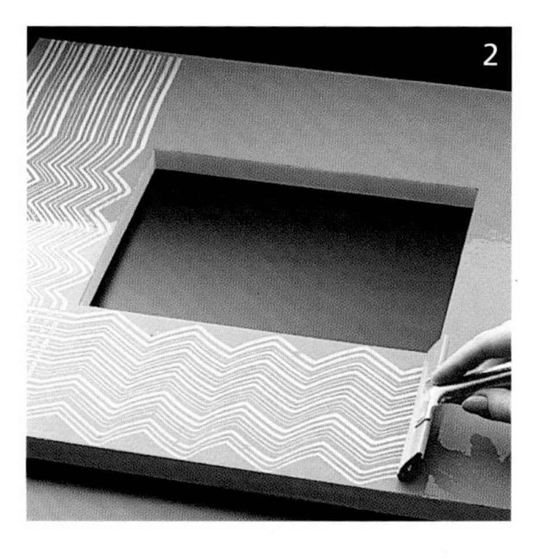

Effet de peigne

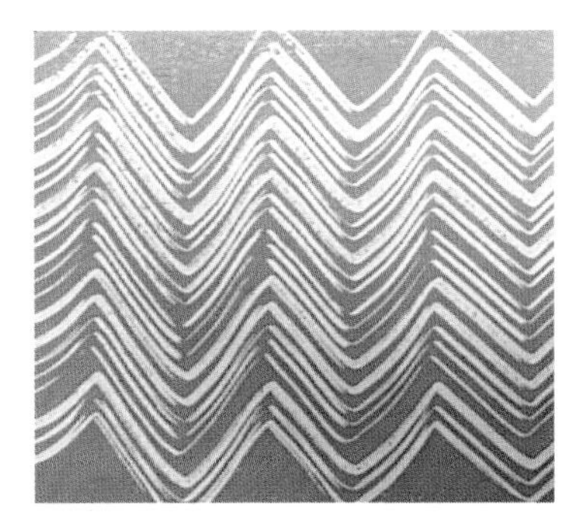

L'effet de peigne est une technique de peinture décorative employée depuis très longtemps comme en témoignent nombre d'objets anciens. On obtient cet effet en appliquant un glacis pour peinture sur une sous-couche. En s'appuyant sur le glacis encore humide, les dents du peigne en soulèvent une partie, ce qui permet de faire ressortir la sous-couche de peinture, mettant en relief des lignes ou des rayures étroites. Pour obtenir un effet plus marqué, choisissez la couleur du glacis d'une teinte qui s'oppose à celle de la sous-couche et lui fait contraste.

Vous pouvez fabriquer vos propres peignes en découpant des sillons en V, des vagues, des festons, des enchevêtrements, des zigzags et des entrelacs. Si vous n'aimez pas le résultat obtenu, vous pouvez effacer le glacis encore humide et recommencer l'opération. Vous pouvez également lisser le glacis avec un pinceau, puis le peigner avec un nouveau motif.

Vous pouvez utiliser le glacis de base (page 21) ou encore un glacis épaissi avec une mesure d'épaississeur acrylique et deux mesures de peinture. Le glacis de base produit un effet plus transparent et donne de bons résultats sur les murs et sur les autres surfaces sans qu'il soit nécessaire d'y ajouter des textures. Un glacis épaissi donne un aspect opaque, des lignes plus nombreuses et plus texturées.

PEIGNES DE CAOUTCHOUC CONTRE PEIGNES DE MÉTAL. Disponibles dans les boutiques d'artisanat et de matériel d'artiste, ces peignes donnent de bons résultats. Vous pouvez fabriquer vos propres peignes en découpant des sillons en V dans une raclette de caoutchouc ou dans un carton rigide.

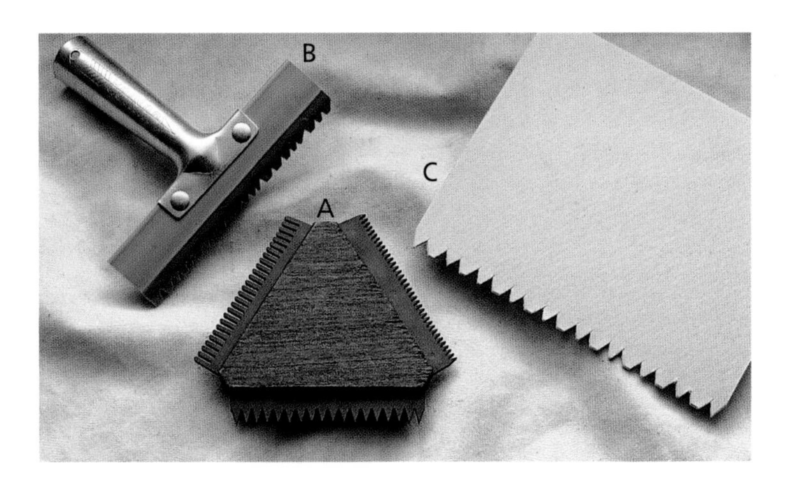

Chiffon roulé

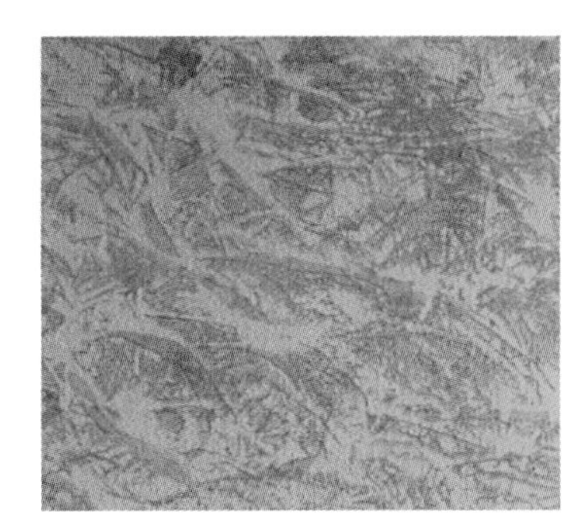

Cette technique donne une texture riche et un effet moiré. Elle est parfaitement adaptée aux murs et aux autres surfaces lisses, comme les dessus de commodes, les tiroirs, les étagères, les bibliothèques et les portes. Le glacis de base de la page 21 peut s'employer dans l'une ou l'autre des deux techniques de chiffon roulé: le chiffon trempé et le chiffon sec.

La première technique consiste à tremper le chiffon dans le glacis de peinture, à le tordre, à le rouler et à le passer sur une surface préalablement recouverte d'une couche de peinture émaillée au latex satiné mat. Pour un motif audacieux, passez une seule application de glacis. Pour une décoration plus subtile et fondue, passez le chiffon en deux applications de glacis ou plus.

La deuxième technique recommande d'appliquer une couche de glacis sur la sous-couche à l'aide d'un pinceau ou d'un rouleau, puis de passer le chiffon en le roulant sur le glacis humide de façon à l'estomper. Il faut répéter le processus pour un fondu plus marqué, mais le plus rapidement possible, car le glacis sèche rapidement.

Si vous utilisez la deuxième technique, sur une grande surface comme un mur, demandez l'aide d'une autre personne. Dès que l'une d'entre vous a fini d'appliquer le glacis, l'autre peut passer le chiffon avant que le glacis ne sèche. Il n'est pas nécessaire d'achever toute la pièce en une seule fois, il vaut mieux entreprendre un mur à la fois.

Dans un cas comme dans l'autre, il est préférable d'appliquer la technique et les couleurs sur un grand morceau de carton avant de commencer. On choisit généralement une couleur plus claire pour la sous-couche et une couleur plus foncée pour le glacis.

N'hésitez pas à explorer la technique en tentant diverses expériences; par exemple, roulez le chiffon dans deux glacis de couleurs différentes sur la sous-couche. Vous pouvez également masquer une surface à l'aide de ruban-cache et passer un chiffon d'une deuxième ou d'une troisième couleur sur la surface protégée.

Comme le travail avec glacis est salissant, recouvrez les surfaces environnantes et appliquez du ruban-cache autour de l'espace de travail. Portez de vieux vêtements, enfilez des gants de caoutchouc et gardez un vieux torchon à côté de vous pour essuyer vos mains.

Comment appliquer la technique du chiffon trempé

MATÉRIEL

- Peinture émaillée latex satiné pour la sous-couche.
- Peinture latex ou acrylique pour artisanat et glacis pour peinture au latex ; 0,9 L de chaque suffit pour les murs d'une pièce de 3,7 m x 4,33 m.
- Sceau à peinture, gants de caoutchouc, vieux torchon, chiffons qui ne peluchent pas d'environ 61 cm carré.

2

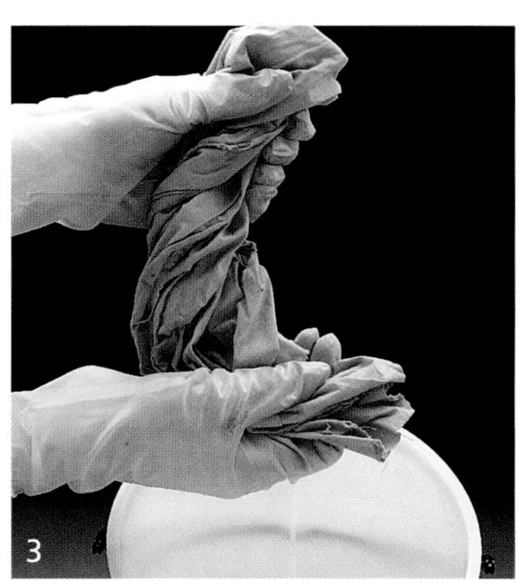
3

1. Préparez la surface (page 13). Appliquez la sous-couche à l'aide d'un pinceau ou d'un rouleau et laissez sécher.

2. Mélangez le glacis de base (page 21) dans un sceau. Imbibez bien le chiffon dans le glacis, tordez-le et essuyez l'excédent de glacis avec un vieux torchon.

3. Roulez le chiffon irrégulièrement et pliez-le en deux, pour que sa largeur soit égale à vos deux mains.

4. Roulez le chiffon sur la surface, en remontant vers le haut, dans des angles différents.

5. Recommencez l'application si vous voulez recouvrir davantage.

4

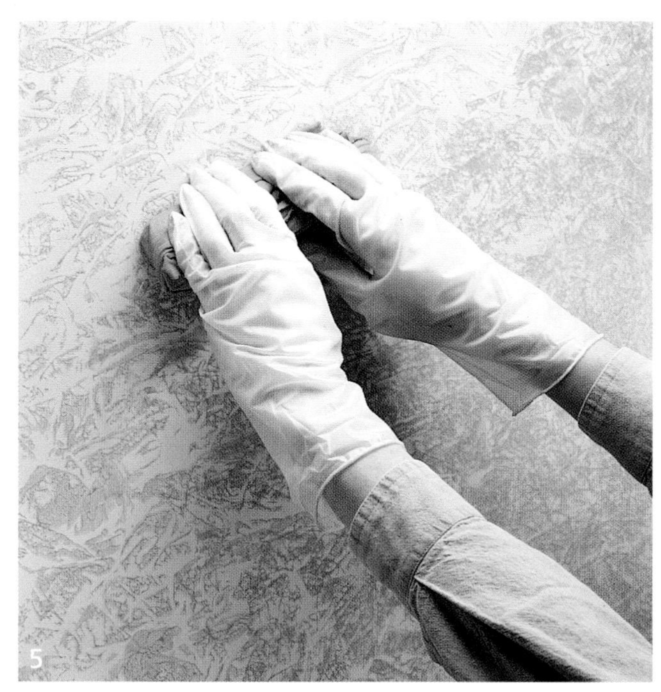
5

Comment appliquer la technique du chiffon Sec

1. Appliquez la sous-couche à l'aide d'un pinceau ou d'un rouleau. Laissez sécher.

2. Mélangez le glacis de base (page 21) ; versez-le dans le récipient de peinture. Appliquez le glacis avec un rouleau ou à l'aide d'un pinceau éponge.

3. Pliez votre chiffon en deux et roulez-le de façon irrégulière sur le glacis humide, en remontant dans des angles différents.

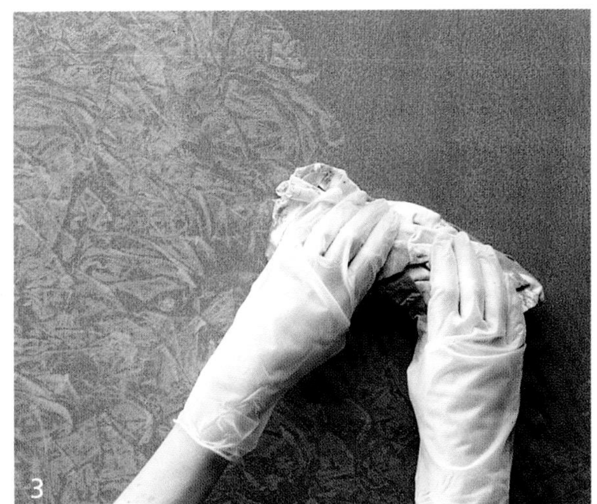

EFFETS DE COULEUR

Comme vous le voyez dans ces exemples, la couleur de la sous-couche n'est pas modifiée quand on utilise la méthode du chiffon trempé. Avec la seconde méthode, la couleur de la sous-couche change, et on enlève un peu de glacis avec un chiffon pour adoucir l'arrière-plan.

CHIFFON TREMPÉ. Cette première technique est utilisée en appliquant un glacis bleu sur une sous-couche blanche.

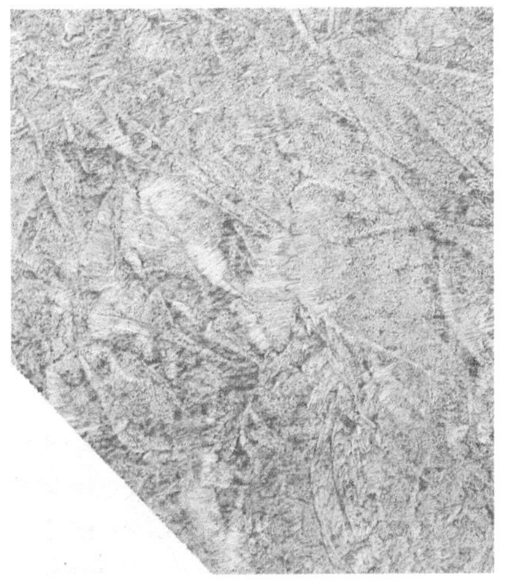

CHIFFON SEC. La deuxième technique est utilisée en appliquant un glacis bleu sur une sous-couche blanche. Celle-ci est recouverte de glacis, puis réapparaît sous forme d'un arrière-plan bleu clair lorsqu'on retire un peu de glacis.

CHIFFON TREMPÉ ET CHIFFON SEC. On a d'abord passé un glacis taupe avec un chiffon trempé sur une sous-couche blanche. Ensuite, on a passé un chiffon sec sur un glacis rouille.

Effet de texture

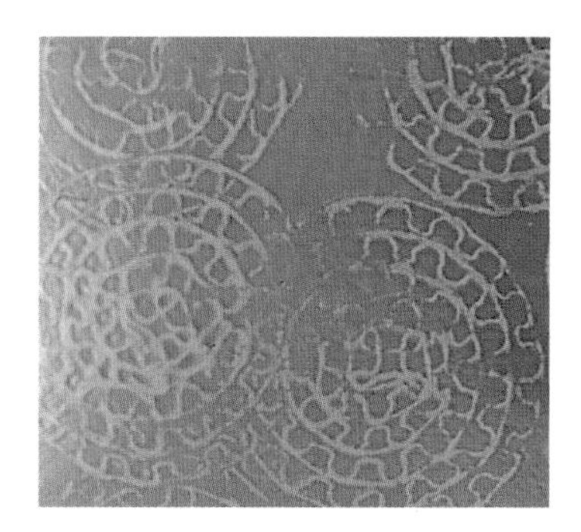

Il existe plusieurs façons d'obtenir une finition riche en texture avec un glacis de peinture en plus des méthodes de stries, de peigne et de chiffon roulé. Vous pouvez utiliser n'importe quel ustensile domestique ou outil à peinture. Des morceaux — roulés ou pliés — de carton ondulé, de raphia, de papier chiffonné, de coton hydrophile, de papier d'emballage plastique, mais aussi des pommes de terre sculptées et des brosses à récurer créent des effets de texture intéressants. La liste des accessoires à employer n'a d'autres limites que celles de votre imagination.

Pour ces types de finitions, utilisez le glacis de base et les indications de la page 21. Vous pouvez appliquer une couche de glacis directement sur la surface, puis la retoucher ou l'enlever partiellement en épongeant le glacis avec un ou plusieurs des objets que vous aurez choisis. Une autre méthode consiste à appliquer le glacis sur les accessoires choisis, puis à en imprimer la surface. Pour vous familiariser avec cette technique et choisir l'effet souhaité, essayez les deux techniques en utilisant différents accessoires.

Appliquez une sous-couche d'émail satiné mat de bonne qualité avant de passer le glacis. La sous-couche et le glacis peuvent être de couleurs contrastantes comme du vert émeraude sur du blanc. Pour une décoration plus subtile, essayez le ton sur ton, tels deux tons de bleu ou choisissez des couleurs similaires en intensité, comme un rouge et un violet soutenu. Le processus peut être répété avec une ou plusieurs couleurs supplémentaires de glacis. Cela donne du cachet et c'est un plaisir pour les yeux, surtout quand on s'en sert pour décorer des petits objets.

À GAUCHE : Ces accessoires ont créé divers effets de texture; on a utilisé une pièce de coton hydrophile pliée pour le vase, du carton ondulé et roulé pour le bol et la devanture d'un carton ondulé pour le plateau.

MATÉRIEL

- Peinture émaillée au latex satiné pour la sous-couche.
- Peinture au latex de la brillance voulue pour le glacis.
- Accessoires de votre choix pour créer un effet de texture.
- Glacis pour peinture latex.

Finition avec effet de texture

1. Préparez la surface (page 13). Appliquez une sous-couche d'émail au latex satiné avec un pinceau éponge, un pinceau ou un rouleau. Laissez sécher.

2. Mélangez le glacis (page 21). Appliquez le glacis sur une petite surface à la fois, à l'aide d'un pinceau éponge, d'un pinceau ou d'un rouleau. Plus la couche est épaisse, plus la finition sera opaque. Plus elle sera mince, plus la finition sera translucide.

3. Donnez de la texture au glacis en y appliquant, roulant, imprimant ou y faisant glisser divers objets pour créer des motifs ; faites pivoter ces accessoires afin de varier les effets. Changez d'accessoires pour varier et essuyez le surplus de glacis au besoin.

AUTRE MÉTHODE. Suivez l'étape 1, ci-dessus et appliquez le glacis sur l'accessoire choisi avec un pinceau éponge, un pinceau ou un rouleau. Servez-vous de cet accessoire couvert de glacis pour imprimer, rouler ou faire glisser sur la sous-couche afin de disperser le glacis sur la surface de façon éparse ou ordonnée, selon l'effet que vous recherchez.

Finition avec effet de texture

CARTON ONDULÉ, ROULÉ. Le carton est fixé avec du ruban-cache. Utilisez l'extrémité ondulée pour obtenir des motifs sur la couche de glacis humide (A). Ou appliquez le glacis directement sur le carton et imprimez la surface(B).

Ondulé d'un carton . Coupez le carton de la dimension désirée. Pour obtenir des motifs, appuyez le côté ondulé sur la couche de glacis humide (C). Ou appliquez directement le glacis sur le côté ondulé (D).

Suite

Finition avec effet de texture

(SUITE)

COTON HYDROPHILE. Pliez le coton et appuyez-le sur la couche de glacis humide (A). Ou appliquez le glacis directement sur un des côtés du coton et imprimez sur la surface (B).

PAPIER CHIFFONNÉ. Chiffonnez le papier et appliquez-le sur la couche de glacis humide (C).Ou appliquez le glacis directement sur le papier chiffonné (D).

PAPIER D'EMBALLAGE PLASTIQUE. Chiffonnez le papier et placez-le sur une couche de glacis humide ; appuyez légèrement et relevez (A). Ou appliquez le glacis directement sur le papier plastique, froissez-le, appuyez et relevez (B).

PINCEAU EN ÉVENTAIL. Appliquez le pinceau directement sur le glacis humide, traçant des rangées uniformes d'éventail (C). Ou appliquez le glacis sur le pinceau et imprimez le motif sur la surface (D).

Suite

Effet de texture

(SUITE)

TISSUS BRUTS. Pliez en éventail une pièce de jute ou tout autre tissu brut en un épais tampon ; appliquez le glacis. Repliez le tissu à mesure qu'il s'imbibe et utilisez un côté propre (A). Ou froissez une pièce de tissu de façon irrégulière ; appliquez le glacis. Froissez à nouveau ou prenez un autre tissu lorsque ce dernier est trop imbibé (B).

TORSADES OU PELOTON. Pour un effet de dessin précis utilisez un rouleau de corde de chanvre ou de ficelle. Appliquez le glacis et pressez votre rouleau contre la surface en un mouvement de rotation ; déroulez la corde ou la ficelle à mesure qu'elle s'imbibe (C). Pour un dessin plus irrégulier, utilisez une pelote de corde ou de ficelle. (D) Appliquez le glacis et pressez contre la surface.

FLEUR DE BAINS (A). Appliquez le glacis sur une fleur de bains comme celles que l'on trouve dans les boutiques de produits pour le bain. En la pressant sur la surface, le filet n'absorbe pas le glacis, donc ne s'imbibe pas.

ÉCLABOUSSURES (B). Protégez l'espace environnant avec un drap ou une bâche. Mélangez les peintures dans de petits pots, combinant deux parties de peinture avec une partie d'eau. Trempez le bout du pinceau dans la peinture en prenant soin d'en détacher l'excédent sur le rebord du contenant. Tenez un bâton et le pinceau au-dessus de la surface à peindre; frappez le manche du pinceau contre le bâton afin de faire gicler la peinture. Travaillez de haut en bas en de larges mouvements. Attendez que la première couleur sèche et recommencez avec chaque nouvelle couleur.

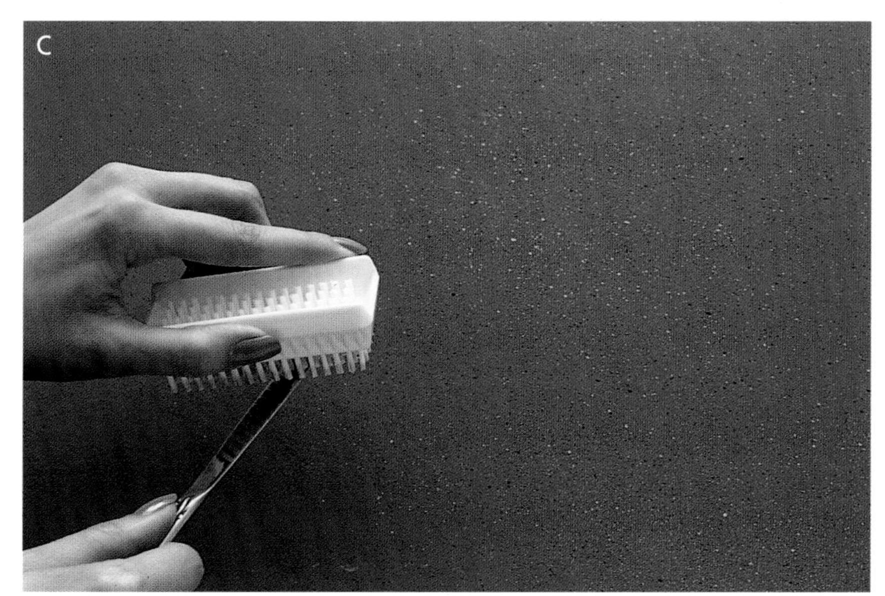

TACHES (C). Trempez les extrémités d'une brosse rigide dans la peinture diluée. Secouez la brosse sur une feuille de papier pour enlever l'excédent de peinture. Tenez la brosse au-dessus de la surface à peindre; frottez les poils de la brosse avec la lame d'un couteau ou avec vos doigts en faisant gicler la peinture loin de vous. Plus la brosse est proche de la surface, plus fins seront les grains et plus vous aurez de contrôle sur votre travail.

Encore des glacis

À GAUCHE : EFFET COMBINÉ (page 21). Différents finis ont été combinés pour décorer cette boîte à bijoux. Le dessus et les côtés sont peints à l'éponge; de haut en bas les tiroirs sont peints au chiffon roulé, au peigne et à l'effet de texture.

AU CENTRE : ROULEAU TEXTURÉ. Sur un tissu, ce rouleau crée rapidement un effet visuel. On peut également l'utiliser sur des surfaces rigides.

À DROITE : EFFET DE PEIGNE. Cette technique met en valeur la forme unique de ce vase.

Suite

Encore des glacis
(SUITE)

EN HAUT : CHIFFON ROULÉ. Une technique qui donne de la texture aux murs, aux meubles et aux accessoires.

À GAUCHE : PORTE-JOURNAUX. Peint en deux couleurs, on a utilisé la technique du chiffon roulé (Page 28). Une couche finale d'acrylique en aérosol ajoute lustre et durabilité.

PAGE PRÉCÉDENTE : EFFET DE TEXTURE. On a utilisé du papier chiffonné pour appliquer la peinture sur ce mur.

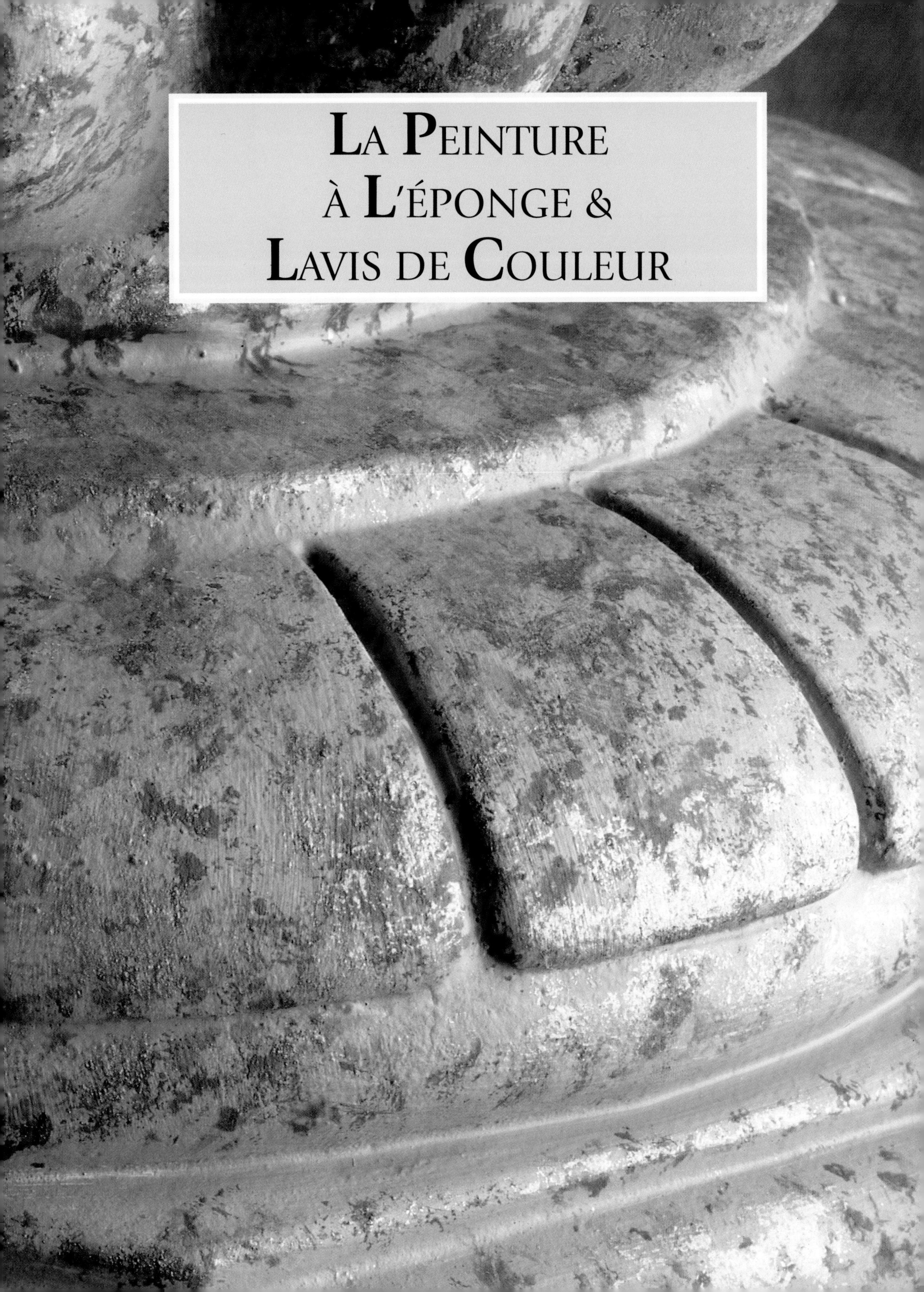
La Peinture
à L'éponge &
Lavis de Couleur

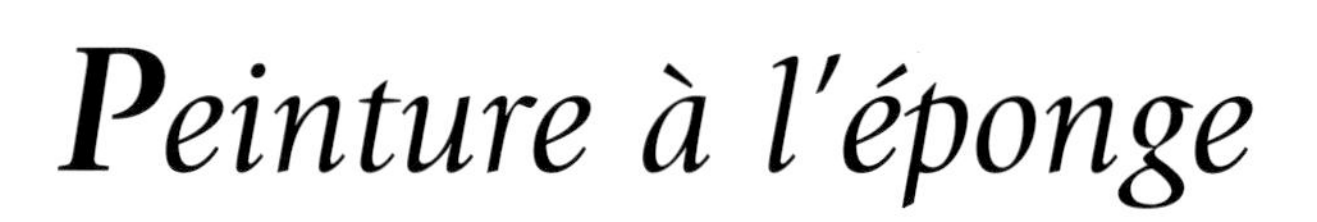

Peinture à l'éponge

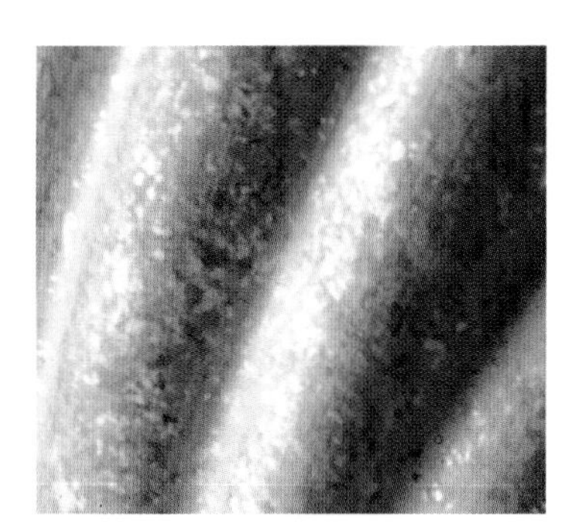

La peinture à l'éponge crée un décor doux et texturé et c'est la technique la plus facile à utiliser. Pour obtenir ce type de finition, utilisez une éponge naturelle pour tamponner la surface à peindre. Les éponges synthétiques ou en cellulose ont tendance à laisser des impressions identiques et trop précises.

L'impression à l'éponge permet de varier les effets selon le nombre de couleurs que vous employez, la façon dont les couleurs se superposent et la distance entre les impressions. Vous pouvez utiliser de la peinture semi-lustrée ou mate pour la sous-couche et les impressions à l'éponge. Si vous désirez obtenir un fini transparent, utilisez un glacis pour peinture. Préparez un glacis comme celui de la page 21.

Pour effectuer des rayures, des bordures ou des panneaux, utilisez du ruban-cache afin de protéger les surfaces après l'application de la première couleur de peinture à l'éponge. Appliquez ensuite la seconde couleur sur les surfaces découvertes.

Le tissu peut également être peint à l'éponge (page 15) ou avec une peinture acrylique d'artisanat mélangée à un glacis pour textile (Page 17). Pré-lavez le tissu pour éviter tout rétrécissement si le tissu est lavable et repassez-le pour enlever toute trace de plis. Appliquez la peinture avec une éponge de mer, comme à l'étape 2 de la page 46, mais n'estompez pas avec une éponge humide. Quand le tissu est sec, fixez la peinture avec un fer à repasser à sec et pressez le tissu.

Peindre à l'éponge

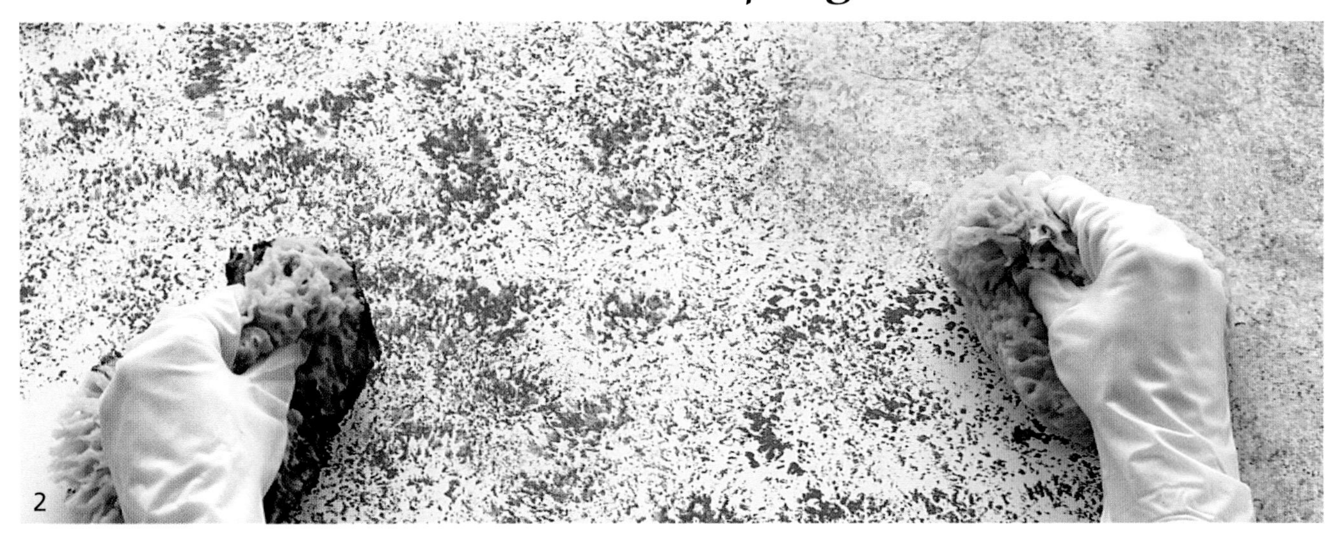

MATÉRIEL

- Peinture latex ou acrylique pour artisanat pour la sous-couche et la peinture à l'éponge.
- Éponge naturelle (éponge de mer)
- Ruban-cache
- Niveau pour peindre les rayures, les bordures et les panneaux.

1. Préparez la surface (page13). Appliquez la sous-couche. Laissez sécher. Trempez l'éponge dans l'eau pour la ramollir et tordez-la pour enlever l'excédent d'eau. Trempez l'éponge dans la peinture ou le glacis (page 21). Estompez légèrement l'éponge à l'aide d'un essuie-tout.

2. Pressez l'éponge à répétition sur la surface à décorer tel qu'illustré à gauche; travaillez rapidement sur des petites parties, et changez souvent la position de l'éponge. Estompez immédiatement la peinture à l'aide d'une éponge mouillée que vous tenez dans l'autre main tel qu'illustré à droite. Cela permet à la peinture de s'écouler pour donner un fini plus doux et plus nuancé. Une partie de la peinture est éliminée avec l'éponge mouillée.

3. Continuez à appliquer la première couleur à la grandeur de la surface en pressant l'éponge à plusieurs reprises. Répétez l'opération avec une ou plusieurs couleurs. Laissez sécher entre chaque application.

4. Pour terminer, vous pouvez appliquer une couche de peinture claire en faisant glisser l'éponge légèrement sur la surface plutôt que la presser.

Des rayures, des bordures, des panneaux

1. Suivez les étapes 1 à 3 de la page précédente. Laissez sécher complètement. Tracez une ligne au crayon de plomb à l'aide d'un niveau. Placez la première lisière de ruban-cache le long de cette ligne.

2. Mesurez et mettez en place les autres rangées de ruban-cache pour délimiter les rayures, les bordures ou les panneaux.

3. Appliquez la seconde couleur de peinture sur les zones découvertes de la surface. Laissez sécher.

4. Retirez le ruban-cache pour laisser apparaître les deux variations de peinture à l'éponge.

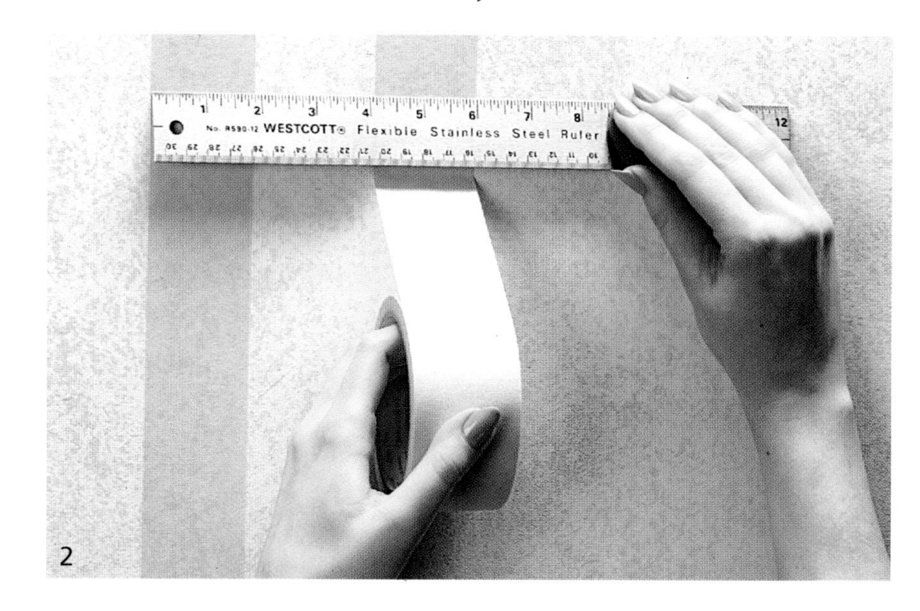

EFFETS DE COULEUR

Appliquer à l'éponge des couleurs qui s'apparentent, par exemple, deux couleurs chaudes ou deux couleurs froides, crée un effet harmonieux. Pour un effet plus saisissant et plus inattendu, vous pouvez combiner couleurs chaudes et couleurs froides.

LES COULEURS CHAUDES comme le jaune et l'oranger donnent un effet vivifiant!

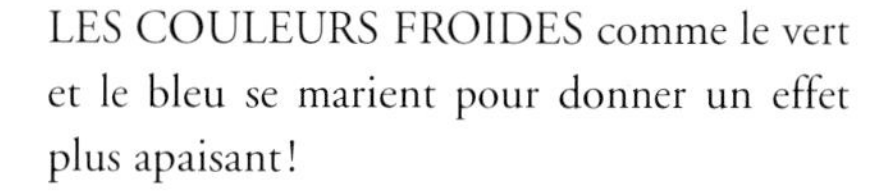

LES COULEURS FROIDES comme le vert et le bleu se marient pour donner un effet plus apaisant!

LES COULEURS CHAUDES ET FROIDES Le jaune et le bleu confèrent un effet audacieux qu'adoucit une application à l'éponge.

TOASTED
COFFEE

Un motif à damier

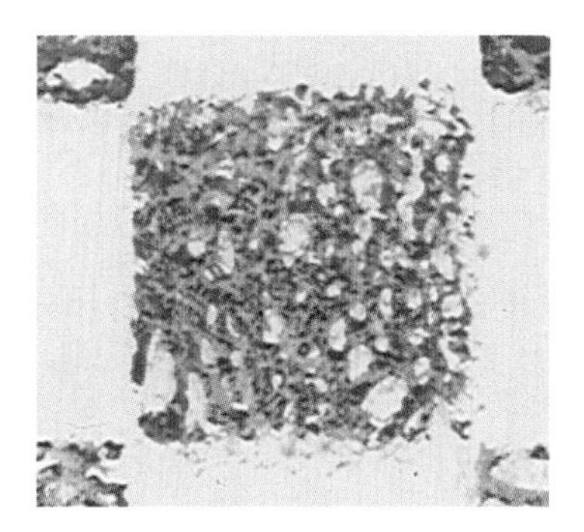

Pour créer un motif à damier impressionnant sur les murs d'une pièce, appliquez la peinture à l'aide d'une éponge de forme carrée. Afin de vous faciliter le travail, collez l'éponge sur une pièce de bois de la même dimension. Vous pourrez ainsi l'utiliser comme un tampon. Si vous désirez ajouter une texture à votre damier, vous pouvez y ajouter une couleur de recouvrement. Pour ce faire, utilisez un nouveau tampon plus petit ou de la même dimension que le précédent et recouvrez chacune des surfaces peintes avec cette autre couleur.

Pour obtenir des rangées de carrés bien droites et bien parallèles, il est préférable de choisir une pièce dont les murs et les plafonds sont à angles droits. Il est préférable aussi d'utiliser un fil à plomb pour obtenir des verticales bien droites. Commencez à travailler dans le coin le plus apparent de la pièce. Travaillez ensuite en vous éloignant des deux côtés. Ainsi, vos carrés de damier se rejoindront parfaitement dans l'angle le plus évident de la pièce. Il serait judicieux aussi de diviser le mur le plus en évidence en carrés de largeur égale afin d'obtenir des carrés complets dans toute la pièce.

Il est recommandé d'utiliser de la peinture au latex mate ou semi-lustrée pour peindre un mur. Si vous décorez un meuble ou une table, il serait préférable de le couvrir d'un vernis protecteur brillant.

Peinture à l'éponge & motif à damier

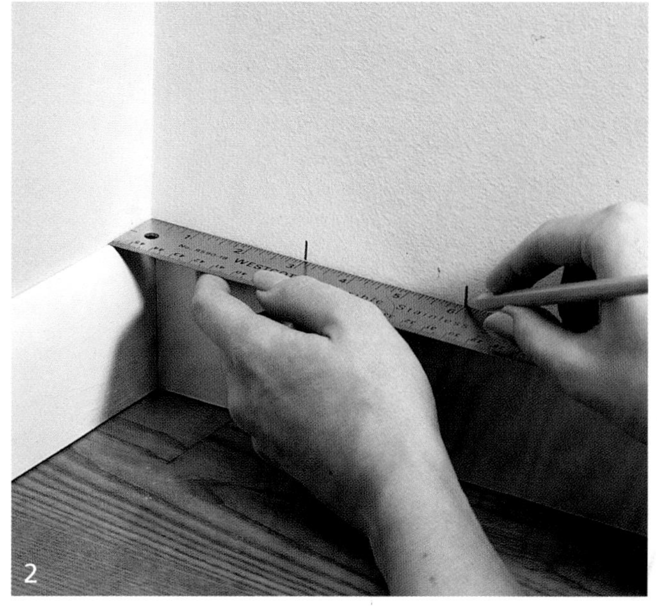

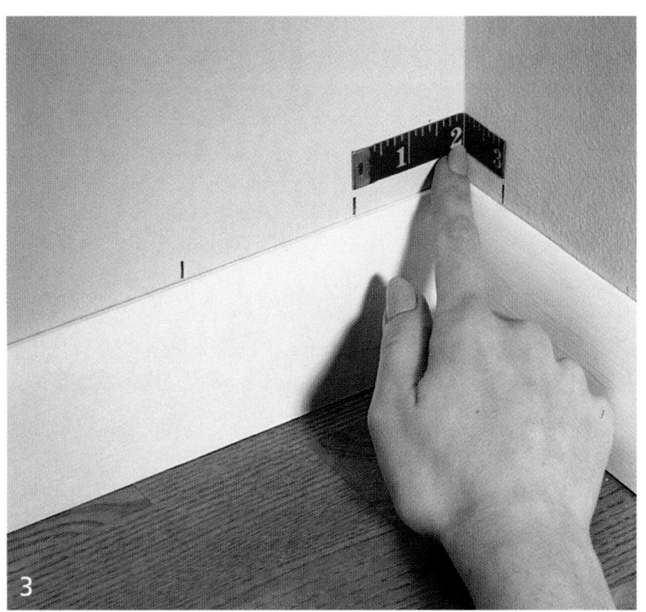

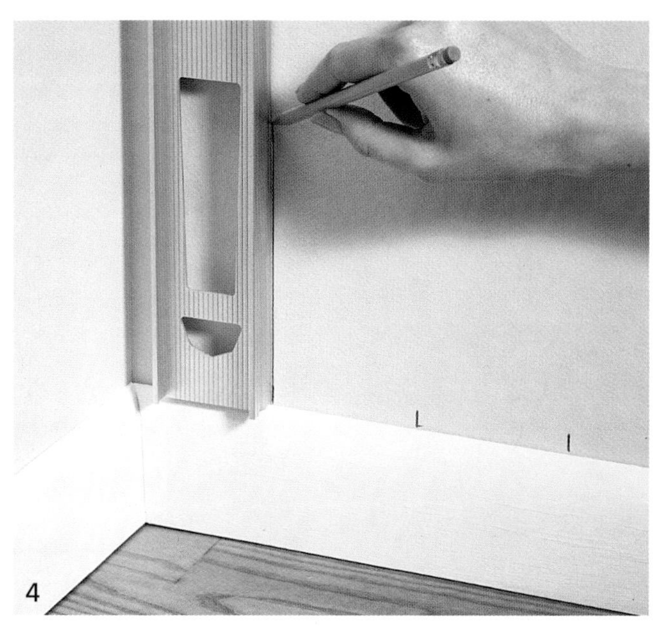

MATÉRIEL

- Peinture latex comme sous-couche, de la couleur de votre choix.
- Peinture latex d'une ou plusieurs couleurs pour les tampons.
- Grosse éponge de cellulose.
- Bouts de bois contreplaqué de 6 mm.
- Fusil à cire chaude et bâtons de cire.
- Minces feuilles transparentes de papier contact Mylar.

1. Coupez l'éponge de cellulose de la dimension du carré désiré ; découpez le contreplaqué de la même dimension et collez-les ensemble à l'aide du fusil à colle. Faites un tampon pour chaque couleur et chaque motif de votre dessin.

2. Préparez la surface (page13). Appliquez la couche de fond de la couleur de votre choix ; laissez sécher. À l'aide d'un crayon de plomb, indiquez la première rangée du dessin au bas du mur. Par exemple, pour un tampon de 7,5 mm, tracez des marques légères sur le mur à 7,5 mm d'intervalle. (Le tracé du crayon est accentué pour montrer les détails).

3. Si la largeur du motif déborde dans un coin, faites une marque sur les deux côtés de l'angle. Continuez à marquer et procédez ainsi sur tous les murs de la pièce.

4. À la première marque en partant de l'angle, tracez une ligne sur le mur en utilisant un niveau et un crayon de plomb. Ou en guise de fil à plomb suspendez une ficelle fixée à une punaise en haut du mur, à laquelle vous aurez attaché un poids, et faites-la longer le mur.

5

6

7

8

5. Appliquez la peinture sur l'éponge avec un pinceau. Étampez les motifs de damier sur le mur tout le long de la rangée du bas.

6. Continuez à étamper vos rangées de motifs en remontant en vous guidant sur les lignes verticales et horizontales que vous avez tracées. Si les motifs complets sont trop gros pour s'ajuster parfaitement dans les angles ou sur la rangée supérieure du mur près du plafond, laissez l'espace non peint pour l'instant.

7. Laissez sécher. Afin de corriger les imperfections ou les carrés mal peints de votre damier, fixez une feuille de papier Mylar sur les parties déjà peintes ou les plafonds afin de les protéger. Finissez alors de tamponner les carrés mal définis ou les portions oubliées dans les coins de la pièce ou près du plafond, en débordant sur cette feuille protectrice. Laissez sécher.

8. Si vous voulez ajouter dimension ou couleur à votre dessin, vous pouvez utiliser des carreaux de même dimension ou choisir des formes et des dimensions différentes. Si vous appliquez d'autres couleurs appuyez délicatement sur l'éponge pour ne pas faire disparaître la couleur de fond. Jetez les éponges après les avoir utilisées.

Modèles de peinture à l'éponge

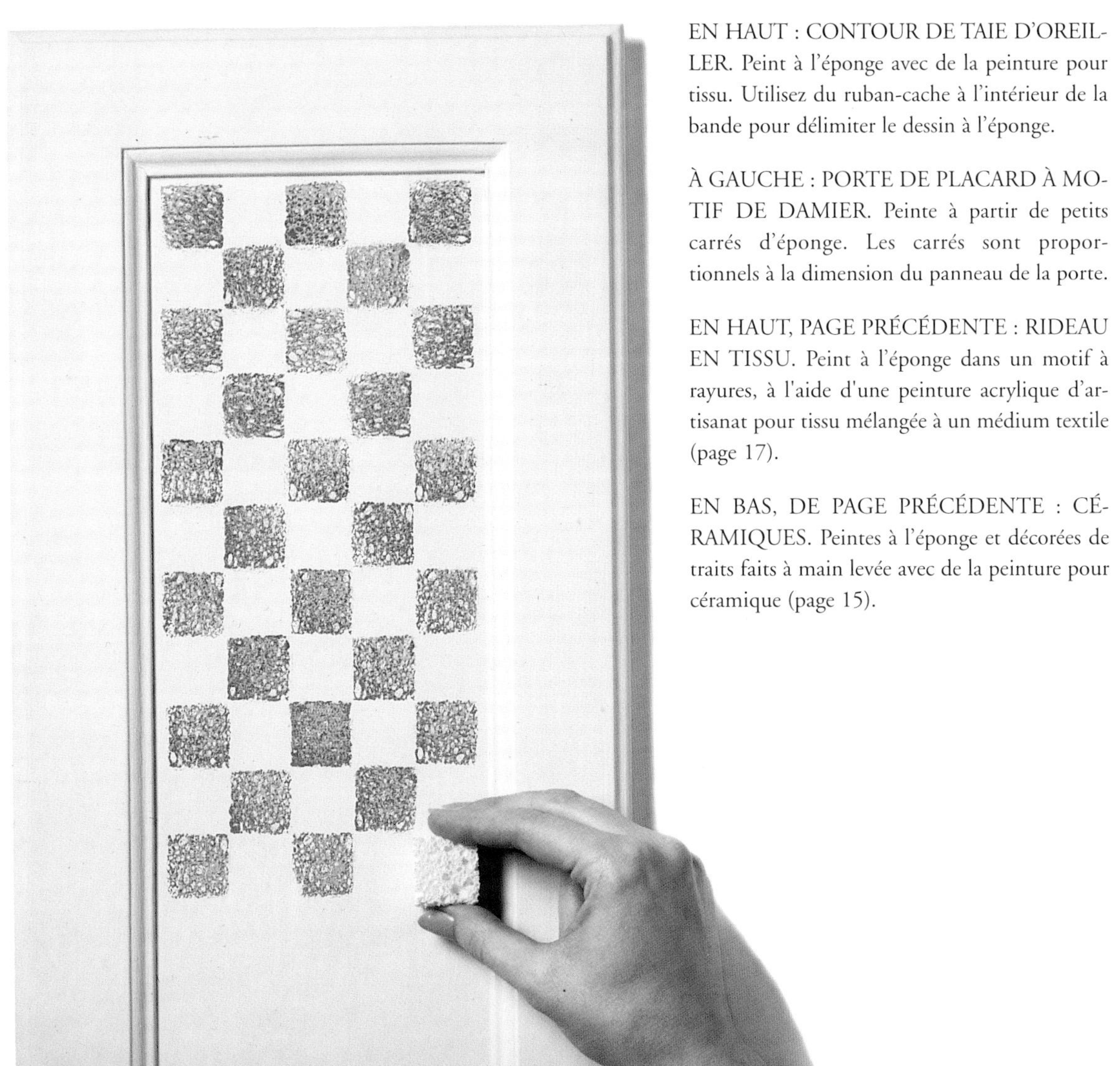

EN HAUT : CONTOUR DE TAIE D'OREILLER. Peint à l'éponge avec de la peinture pour tissu. Utilisez du ruban-cache à l'intérieur de la bande pour délimiter le dessin à l'éponge.

À GAUCHE : PORTE DE PLACARD À MOTIF DE DAMIER. Peinte à partir de petits carrés d'éponge. Les carrés sont proportionnels à la dimension du panneau de la porte.

EN HAUT, PAGE PRÉCÉDENTE : RIDEAU EN TISSU. Peint à l'éponge dans un motif à rayures, à l'aide d'une peinture acrylique d'artisanat pour tissu mélangée à un médium textile (page 17).

EN BAS, DE PAGE PRÉCÉDENTE : CÉRAMIQUES. Peintes à l'éponge et décorées de traits faits à main levée avec de la peinture pour céramique (page 15).

Lavis de couleur

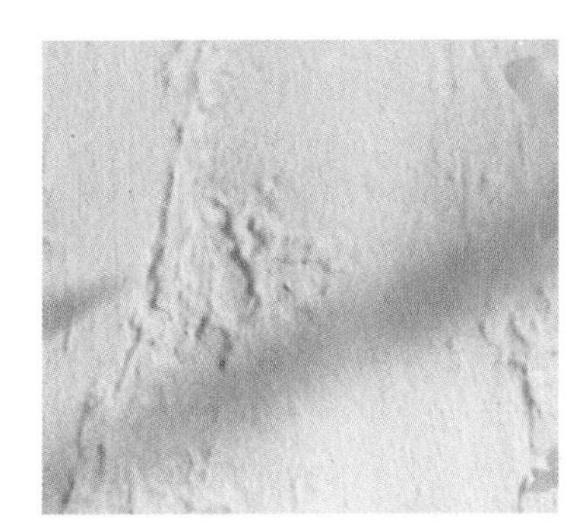

Un lavis de couleur est une finition facile à obtenir qui donne aux murs un aspect translucide rappelant l'aquarelle. Il ajoute de la texture aux surfaces sans relief et met en valeur la surface irrégulière d'un crépi.

Cette technique requiert un pinceau en soie naturelle qu'on applique sur une sous-couche d'émail latex mat en croisant les coups de pinceau. Lorsque le glacis commence à sécher, il peut être davantage estompé à l'aide d'un pinceau sec. Terminez toujours un mur avant d'en commencer un autre ou avant d'interrompre votre travail. Entreposez les restes de glacis dans des pots hermétiques entre vos sessions de peinture.

Le glacis peut être plus clair ou plus foncé que la sous-couche. Pour obtenir de meilleurs résultats, utilisez deux couleurs dans les même tons ou utilisez une couleur neutre comme le beige ou le blanc comme sous-couche ou pour le glacis. Ce genre de travail étant très salissant, recouvrez le sol et les meubles de toiles et appliquez du ruban-cache le long du plafond et des boiseries.

GLACIS DE COULEUR

Mélangez les ingrédients suivants :

Une mesure de peinture latex.

Une mesure de glacis pour peinture au latex.

Deux mesures d'eau.

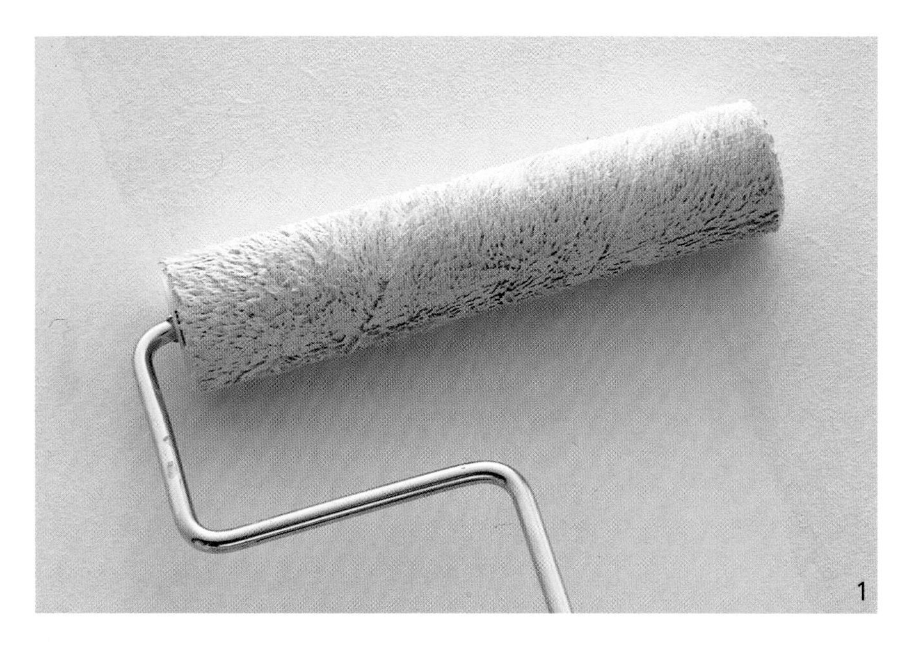

1

2

3

Comment effectuer des lavis sur mur

MATÉRIEL

- Peinture émaillée latex mate pour la sous-couche.
- Peinture latex pour le glacis de couleur.
- Glacis pour peinture latex.
- Rouleau à peinture.
- Deux pinceaux de soie naturelle de 7,5 à 10 cm par personne.
- Toiles, ruban-cache.

1. Réparez la surface (page 13). Appliquez la sous-couche de peinture émaillée latex mate de la couleur de votre choix à l'aide du rouleau. Laissez sécher.

2. Mélangez le glacis. Trempez le pinceau dans le glacis ; laissez l'excédent de glacis sur les rebords du pot. Appliquez le glacis sur le mur en croisant les coups de pinceau à partir de l'angle. Plus vous brosserez la surface, plus elle paraîtra douce.

3. Peignez la surface à l'aide d'un pinceau sec si vous voulez adoucir davantage l'effet. Essuyez l'excédent de glacis du pinceau au besoin.

EFFETS DE COULEUR

Pour la sous-couche et le glacis, choisissez des couleurs dans les mêmes tons ou utilisez au moins une couleur neutre. Un glacis foncé sur une sous-couche claire ajoute de la texture. Un glacis plus pâle sur une sous-couche foncée donne un effet d'aquarelle.

Appliquez une couche plus foncée sur une sous-couche plus pâle, comme le blanc (A).

Appliquez une couche plus pâle sur une sous-couche plus foncée comme le corail (B).

Appliquez deux teintes d'une même couleur, une couche d'un bleu moyen sur du bleu plus pâle (C).

Lavis de couleur sur le bois

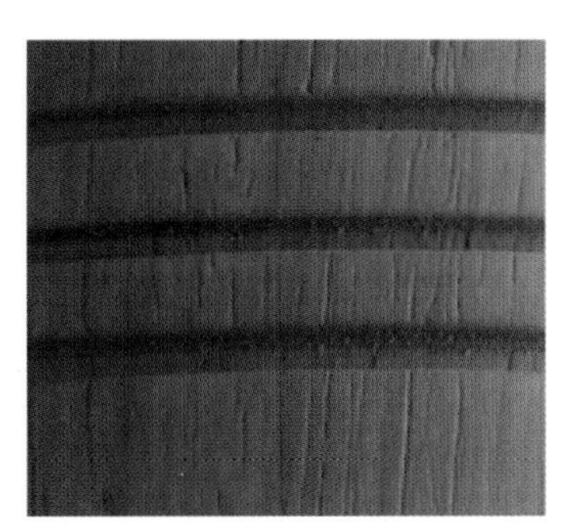

Un lavis de couleur subtil donne une allure attrayante à vos armoires et à vos articles en bois. Ce fini convient à tous les styles de décoration, le contemporain comme le rustique.

Pour le lavis de couleur, utilisez du latex mat ou de la peinture acrylique diluée dans de l'eau. Appliquez sur une surface de bois non peinte ou teinte. Le lavis de couleur fait ressortir le grain et la couleur naturelle du bois. Plus claire est la surface de base, plus claire sera la finition. Pour éclaircir une surface foncée, appliquez un lavis de couleur blanc suivi d'un lavis de la couleur de votre choix.

Si vous appliquez un lavis de couleur sur une surface vernie, enlevez toute trace de corps gras ou de saleté en lavant la surface. Il est important de sabler le vernis pour permettre au bois de bien absorber le lavis de couleur.

EN BAS : UN LAVIS DE COULEUR À RAYURES a été appliqué sur un sous-plat et lui donne un petit air campagnard.

Comment appliquer un lavis de couleur

MATÉRIEL

- Peinture latex mate.
- Fini acrylique transparent mat ou semi-lustré.
- Pinceau.
- Papier à poncer 220 gr.
- Chiffon double.

1. Préparez la surface de bois en la nettoyant et en la sablant ; si la surface est vernie, passez un papier sablé pour la rendre plus rugueuse. Essuyez avec un linge humide.

2. Mélangez une mesure de peinture latex mate avec quatre mesures d'eau. Appliquez sur la surface du bois en peignant dans le sens du grain du bois et en travaillant sur une surface n'excédant pas 0,95 mètres carrés à la fois. Laissez sécher de 5 à 10 minutes.

3. Essuyez la surface avec un chiffon propre qui ne laisse pas de mousse de façon à ôter partiellement la peinture jusqu'à l'obtention de l'effet escompté. Si la couleur est trop pâle, répétez le processus. Laissez sécher. Sablez légèrement la surface avec du papier 220 gr. Pour adoucir le fini, essuyez avec un linge humide.

4. Appliquez une ou deux minces couches de fini acrylique transparent en sablant légèrement entre chaque application.

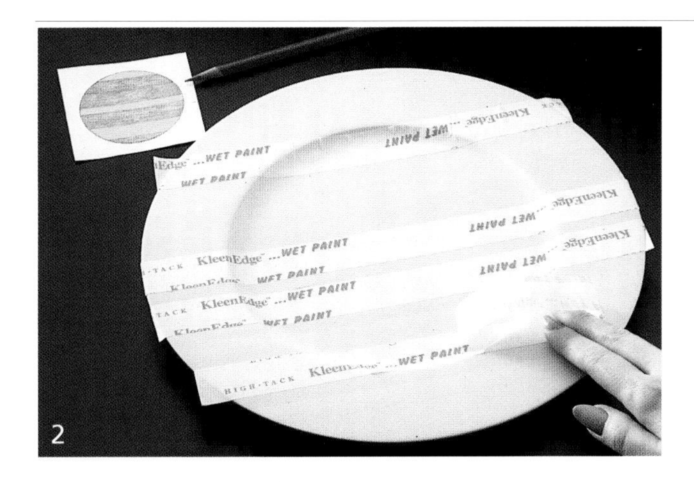

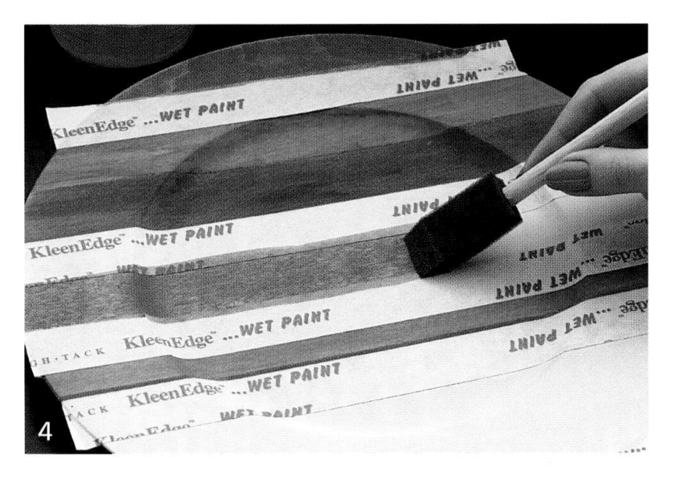

Comment faire des rayures au lavis de couleur

MATÉRIEL

- Peinture acrylique d'artisanat dans les couleurs de votre choix.
- Papier à poncer de 100 gr, 150 gr et 200 gr.
- Chiffon humide.
- Papier-cache.
- Pinceau éponge.
- Fini protecteur transparent ou fini acrylique en aérosol.

1. Poncez la surface dans le sens du grain du bois, avec un papier à poncer de 150 gr et ensuite avec un papier de 220 gr. Enlevez toute trace de poussière avec un chiffon humide.

2. Faites votre choix de couleurs pour chaques rayures et choisissez à quelle distance vous voulez disposer vos rayures. Collez le papier-cache, de chaques côtés des rayures que vous souhaitez peindre avec la première couleur.

3. Diluez la peinture, une portion de peinture, deux portions d'eau. Appliquez la première couleur, délicatement à l'intérieur des lignes de papier-cache, avec un pinceau éponge; utilisez la peinture parcimonieusement. Laissez sécher; retirez les papiers-cache.

4. Recommencez les opérations 2 et 3, pour toute nouvelle couleur et laissez sécher entre chaque couleur.

5. Poncez la surface, dans le sens du grain du bois, avec un papier de 100 gr, pour donner un effet d'usure. Portez l'accent particulièrement sur les rebords internes et externes du plateau.

6. Appliquez une couche de fini acrylique transparente en aérosol. Apposez des couches supplémentaires, si vous le souhaitez. Poncez délicatement entre chaques applications.

Index

18705 Lake Drive East
Chanhassen, Minnesota 55317
www.creativepub.com

Président Directeur Général: Michael Eleftheriou
Vice-président/éditeur: Linda Ball
Vice-président/directeur du départment des achats: Kevin Haas

La peinture à l'éponge
Créé par *The Editors of Creative Publishing international, Inc.*
Publié en collaboration avec Jo Dupre, BVBA.

Imprimé en Chine.
ISBN 1-58923-171-6